AVENTURE À OTTAWA

AVENTURE À OTTAWA

Directrice de collection
Françoise Ligier

Révision
Michèle Drechou
Maïr Verthuy

Conception graphique
Meiko Bae

Illustrations intérieures
Geneviève Côté

Illustration de la couverture
Geneviève Côté

Mis en page sur ordinateur par
Mégatexte

ISBN 2-89045-899-7

AVENTURE À OTTAWA

Doumbi Fakoli

Collection Plus
dirigée par
Françoise Ligier

Doumby FAKOLY

Doumby Fakoly a passé beaucoup d'années au Sénégal mais il est né au Mali. Il a été collaborateur à la Banque internationale pour l'Afrique occidentale. Il est maintenant comptable à Paris.

C'est au Canada, où il a des amis, qu'il situe l'aventure qu'il nous raconte.

Parmi les livres qu'il a publiés, on trouve les titres suivants :

Morts pour la France, *La retraite anticipée du Guide Suprême*, *Certificat de contrôle Anti-Sida*, *Kemet Grand Prêtre d'Amon*.

Ce soir-là, Blacky et Whity, comme d'habitude, commentent passionnément la dernière séance d'entraînement de basket-ball en parcourant à pied la distance qui sépare les deux centres de leur univers: l'école secondaire La-Salle et le quartier de la basse-ville.

Les morsures du froid de l'automne finissant sont sans prise sur leur joie, toujours renouvelée, à l'évocation des dribbles, des feintes, des paniers marqués sous tous les angles.

À quatorze ans, les deux garçons sont à la fois des adolescents et des adultes; adolescents, ils le sont pour leurs parents et adultes, ils le sont pour leur entraîneur, séduit par leur grande taille, et qui croit avoir découvert en eux les talents qui caractérisent les champions.

–Regarde! s'exclame soudain Blacky. Whity suit le regard de son ami. Dans l'immensité cosmique, presque au zénith, deux étoiles s'enflent d'une lumière phosphorescente aux couleurs de l'arc-en-ciel; puis, tout à coup, elles disparaissent. Sans raison apparente, Blacky et Whity accélèrent le pas.

Sur une centaine de mètres, la rue Dalousi est plongée dans une semi-obscurité. Les deux garçons ralentissent pour traverser. Un bruit léger et indéfinissable attire leur attention. Ils tournent la tête vers la troisième voiture en stationnement: une Datsun, couleur bleu ciel, dont le conducteur a oublié d'éteindre les phares.

–Le propriétaire de ce véhicule risque d'avoir une surprise demain! dit Whity, d'un ton moqueur.

Blacky renchérit:

–Quand on est tête en l'air, on doit accepter ses étourderies. Tant pis pour lui si la batterie est à plat demain.

–Je me demande quand même d'où vient ce bruit, dit Whity, à nouveau sérieux.

– Allons voir, propose Blacky.

Prudents de nature, pleins d'appréhension en la circonstance, ils s'approchent à pas feutrés de la voiture bleue. Trois passants, qui viennent en sens inverse, les croisent. L'un d'eux veut les taquiner; mais un autre, complice de ce qu'il pense être un jeu de cache-cache, l'empêche de trahir le manège.

De l'autre côté de la rue, à la même hauteur, deux vieillards les observent discrètement. Ce sont sûrement des contre-espions à la retraite, car la façon de cacher leur vif intérêt ne laisse aucun doute sur la longue expérience accumulée de filatures et de pièges au fil de missions périlleuses. Peut-être espèrent-ils réussir leur dernier exploit! De toute évidence, ils se

croient en présence de voleurs chevronnés.

Blacky et Whity atteignent enfin leur but.

–Tu vois ce que je vois, exulte Whity.

–Oh! Waou! répond simplement Blacky, tout ému.

Sous le pare-chocs avant de la Datsun, deux paires d'yeux

luisent comme la pleine lune. L'une appartient à un chiot noir de la noirceur de l'ébène et l'autre, à un chaton blanc de la blancheur de la neige.

Blacky et Whity se baissent en même temps; le chiot se dirige vers Whity tandis que le chaton se roule en boule sur les pieds de Blacky.

La vue des deux petits animaux domestiques dans les bras de Blacky et Whity fait disparaître les soupçons des contre-espions à la retraite. Ils continuent leur route.

Blacky et Whity ont toujours souhaité avoir un chien et un chat. L'absence de tatouage et de plaque d'identification sur leur découverte les satisfait pleinement. Désormais, ils n'auront plus besoin d'aller chez un camarade pour caresser un pelage soyeux.

–Comment allons-nous les appeler? demande Blacky à Whity.

–Cherchons un nom ayant un rapport avec l'endroit où nous les avons trouvés, propose Whity.

Ils se grattent la tête pendant quelques secondes, puis Blacky dit:

–En associant le nom de la rue aux nôtres traduits en français, nous aurons les noms originaux que voici: Dalnoir et Dalblanc.

Whity acquiesce et ils reprennent le chemin du retour, tranquilles et heureux. Et pourtant...

Et pourtant, ni la mère de Blacky ni le père de Whity n'aiment les chiens et les chats. C'est cette aversion inexplicable qui a sans cesse différé la réalisation de leurs vœux. Quelle force intérieure les pousse à les braver?

Les maisons de Blacky et de Whity, qui se font face, sont situées au tout début de la rue Saint-Jacques. Ils les atteignent au moment où leur plan est bien au point.

Chacun d'un côté de la rue, une main sur la poignée de la porte d'entrée, Blacky et Whity se saluent et se souhaitent bonne chance en se croisant les doigts.

D'ordinaire, quand ils rentrent tard du sport – ce qui arrive souvent les veilles de fin de semaine – ils adoptent la même démarche. Ils se rendent d'abord au salon pour parler à leurs parents, passent dans la salle de bains pour se laver et ensuite dans leur chambre pour se changer; enfin ils vont

à la cuisine pour se servir selon
leur faim. Mais ce soir-là, ils bous-
culent ces habitudes bien ancrées.

Dalnoir et Dalblanc bien dissimulés dans les sacs de sport, les deux amis se dirigent d'un pas de sioux directement vers leur chambre. Sous le lit de l'un et le bureau de l'autre, le chat et le chien trouvent une nouvelle cachette pendant que leurs nouveaux maîtres prennent leur douche en un éclair, puis s'approvisionnent dans la cuisine. Quand ils regagnent leur chambre, Dalnoir a droit à un bol de lait et Dalblanc à une assiettée de yaourt.

Après avoir bien fermé la porte de leur chambre, les deux garçons rejoignent leurs parents dans le salon. En guise d'explication au comportement insolite qu'ils viennent d'avoir, tous les deux disent:

–J'étais trempé de sueur, j'avais les pieds sales, je sentais

mauvais, voilà pourquoi j'ai pré-
féré me laver d'abord.

Ils sont en retard parce que le traditionnel copain leur a demandé de marcher pour profiter de l'air frais.

Les parents tombent une fois de plus dans le panneau. Chaque fois que Blacky se sert de Whity, ou Whity de Blacky, pour se justifier, cela marche immanquablement. Les parents de l'un tolèrent toujours de l'autre la faute qui aurait valu une punition mémorable à leur propre fils.

Blacky et Whity doivent cette situation laxiste à la longue amitié qui unit leur père. Étudiant africain à Ottawa dans les années 1970, le père du premier avait connu celui du second sur le campus de l'université un soir d'été, juste à la fin des examens. Dès les premiers échanges, ils se sont découvert quantité d'affinités qui, au fil des ans, ont soudé cette profonde amitié.

Inséparables jusqu'à la fin de leurs études, Blacky père s'est laissé aisément convaincre par Whity père de s'installer en Ontario, terre natale de ses parents d'ascendance française. Ils se sont mariés le même jour, en noces communes; Blacky père a épousé la fille d'un ambassadeur africain en poste à Ottawa, et Whity père une amie d'enfance. Blacky est venu au monde une semaine avant Whity. Chacun porte le prénom du père de l'autre, qui est également son parrain. Mais la noirceur brillante de Blacky et la blancheur éclatante de Whity ont inspiré les surnoms par lesquels toute la ville les identifie à présent.

La soirée s'éternise. L'intermi-
nable documentaire que diffuse la
télévision sur la faune et la flore
aquatiques de différents continents
subjugue les Blacky et Whity pères.
Comment alors attirer leur attention? Comment flatter leur fierté
par les excellentes notes obtenues
dans la journée? Et surtout, comment leur parler de l'adorable
chaton et du merveilleux chiot

promis par un camarade de classe?

De guerre lasse, Blacky et Whity confient leurs espoirs à Dieu et retournent vers leurs compagnons à quatre pattes.

Dalblanc et Dalnoir n'ont pas bu le lait, ni mangé le yaourt. Ils ne s'en sont même pas approchés. C'est à croire qu'ils n'ont pas faim! Mais peut-être ont-ils des goûts plus raffinés?

Pour Blacky et Whity, cette dernière hypothèse est la meilleure. À tort ou à raison, ils restent convaincus que les deux petits animaux n'ont rien mangé de toute la journée. Rapidement, ils se laissent persuader par la même intuition: le palais de leurs compagnons a déjà pris l'habitude des boîtes de conserve. Il vaut donc mieux leur procurer une nourriture plus consistante. Ce qu'ils font en catimini, vidant le réfrigérateur de ce qui y reste de jambon, saucisson, pâté, etc.

Mais Dalnoir et Dalblanc refusent de manger. Ils détournent la tête chaque fois qu'une assiette est placée à portée de leur museau. La même pensée traverse alors l'esprit de Blacky et Whity.

Depuis que Dalnoir et Dalblanc sont entrés dans leur vie, les deux amis réagissent, plus que jamais, comme un seul être; exactement de la même manière.

–On dirait qu'il fait la grève de la faim, murmurent en même temps Blacky et Whity.

Ils se résignent; ils rangent les assiettes dans un coin de la chambre et se couchent, leur ami sur la poitrine.

Bientôt, le sommeil les gagne. Un rêve les invite dans une randonnée céleste.

Sur un char de feu, conduit par Dalnoir et Dalblanc, ils commencent l'ascension du ciel. Cela dure quelques années-lumière pendant lesquelles ils peuvent contempler à loisir le spectacle inénarrable de millions de novas et de nébuleuses, de milliers de soleils de minuit et de lunes de midi, des anges et des fantômes en villégiature. Puis au bout de la voie lactée qu'ils ont empruntée, le char de feu tourne à gauche. Là, juste derrière le soleil, un peu à gauche, un astre, bien à l'abri du regard inquisiteur des télescopes, les attend.

Qu'il est magnifique ce pays céleste! Fait de diamant et de cristal, il scintille sans cesse d'une lumière sidérale unique. Les maisons sont découpées dans le clair de lune et les jardins fleuris de plantes d'émeraude. Androgynes

comme les anges, les habitants sont la synthèse réussie des humains qui peuplent la terre. Ils ont les yeux bridés des Asiatiques, le nez aquilin des Indo-Européens, les lèvres charnues des Indiens et les cheveux crépus des Noirs. Leur corps a les couleurs de l'arc-en-ciel comme tous les animaux.

Dalnoir et Dalblanc quittent le char de feu et glissent dans l'air, comme sur un arc-en-ciel, entraînant Blacky et Whity dans leur sillage. C'est ainsi que l'on se déplace sur cette planète où tout décidément dépasse l'entendement humain. On n'y boit pas, on n'y mange pas; il suffit simplement de le désirer pour que la soif soit étanchée et la faim apaisée. Pour communiquer, on se sert de la pensée. La bouche, totalement

superflue, a une simple fonction d'ornement.

La destination du petit groupe est une immense place publique dressée sur une minuscule étoile. Tous ceux qui vivent sur la planète y viennent pour un laps de temps. En repartant, chacun change d'aspect. Ainsi, les animaux deviennent humains et les humains, animaux.

Au moyen de la pensée, Dalnoir et Dalblanc disent à leurs amis :

– Vous voyez, seule la forme nous différencie de vous. Mais la forme est trompeuse.

Puis, estimant que les Terriens en savent désormais assez sur eux, ils commandent au char de feu de revenir et tout le monde s'y installe pour le retour. La tristesse envahissante ternit quelque peu les beaux visages de Blacky et Whity. Ils ont laissé sur la terre un énorme problème en suspens. Comment vaincre l'allergie de leurs parents aux chiens et aux chats? Lisant leur angoisse, Dalnoir et Dalblanc les rassurent.

–Ne vous inquiétez donc pas.

–Vous croyez que nous resterons ensemble?

–Personne ne pourra nous séparer.

L'heure du petit déjeuner est passée. Partagés entre l'évocation du voyage interstellaire et l'élaboration d'une nouvelle stratégie pour s'assurer la garde de leurs amis, Blacky et Whity ont du mal à se lever. La beauté et la fascination du souvenir sont proportionnelles à la complexité du problème qu'ils ont à résoudre.

Mais il faut devancer la curiosité des parents. Ces derniers ne tarderont pas à venir chercher les raisons de la paresse inhabituelle qui cloue les deux amis au lit.

Ils se décident enfin à sortir de leur chambre dont ils referment la porte soigneusement à clef.

Tandis que Whity se rend à la salle de bains, Blacky, sans doute affamé, prend la direction de la cuisine.

Devant un bol de céréales, il cherche encore les mots magiques qui sauveront Dalblanc, lorsque son père apparaît dans le cadre de la porte.

—Bonjour fils, dit-il.

—Bonjour, Pa.

–Ta sœur m'a convaincu hier. Elle veut un chaton et j'ai accepté. Veux-tu t'en occuper?

Blacky observe un court moment de silence comme si sa langue s'était nouée. Puis, réalisant qu'il n'est pas victime d'une illusion, il laisse éclater sa joie. Dans la manifestation bruyante de celle-ci, il expédie, d'un revers involontaire de la main, le bol de céréales contre le réfrigérateur.

–Quelle énergie dit simplement sa mère, arrivée sur ces entrefaites.

Sa sœur, également sur les lieux en même temps que sa mère, se moque de lui un instant avant de l'aider à nettoyer.

Dalblanc, qui semble à l'affût d'un moment propice, se fraie un

chemin entre les jambes et s'offre
aux bras de Blacky.

– Ah, le cachotier! constate la
mère de Blacky.

– Depuis quand est-il ici? questionne son père.

Blacky résume alors les circonstances de la découverte de Dalblanc et de Dalnoir. Au fil de son récit, il apparaît clairement qu'il cherche à obtenir l'intervention de son père en faveur de Whity. Il reste persuadé que le père de ce dernier satisfera à la demande du sien.

–Essaie, Pa, appuie sa sœur. Il faut que Whity garde son chiot.

Comme personne ne refuse rien à cette enfant adorée, la promesse est faite d'une visite imminente chez les amis de la famille.

Blacky décide de précéder cet événement. Il confie Dalblanc à sa sœur, s'habille et sort. Chemin faisant, il essaie de percer le mystère qui entoure la sortie de Dalblanc, malgré la porte fermée. En vain. Mais le rêve de la nuit dernière le console. Peut-être que leurs amis sont des extra-terrestres? Rien n'est impossible aux extra-terrestres!

Quand il sonne à la porte des parents de Whity, cette quasi-certitude est déjà acquise chez ces derniers. Dalnoir est perçu comme un chiot exceptionnel, doué de facultés psychiques supérieures à celles de beaucoup de magiciens.

En effet, grâce à lui, Bibi, la vieille perruche, parle à présent. Que n'a-t-on pas fait pour délier la langue du perroquet, assouplir son bec, activer son cerveau. Tous les piments du Sénégal, son pays d'origine, des Antilles et de Haïti n'avaient pas réussi à lui faire prononcer le moindre mot. Il a suffi de la présence de Dalnoir!

Dalnoir a donc été sa provi-
dence. La joie inespérée, mêlée de
fierté, que Bibi prodigue mainte-

nant à la famille, demande une récompense au sauveur.

Whity est autorisé à garder Dalnoir.

−Fantastique exulte Blacky quand Whity a fini de lui raconter le renversement de la situation.

Quand, à son tour, il expose l'événement qui vient de se dérouler chez lui, la conviction les gagne qu'ils vivent une histoire extraordinaire.

Durant les jours qui suivent, les miracles succèdent aux miracles. Des guérisons inexplicables interviennent en série et de façon tout à fait inattendue. Elles semblent discriminatoires; car elles ne touchent que les chiens et les chats de la ville.

C'est ainsi que Prince retrouve l'usage de ses pattes postérieures. Prince est un magnifique boxer qui appartient à la famille de la petite amie de Whity. Comme tous les chiens de cette race, il s'est taillé une place détestable dans le cœur des cambrioleurs qui ne peuvent tolérer sa vigilance. Deux d'entre eux ont profité d'un soir de fin de semaine, alors que la famille était absente, pour dévaliser la maison. Ils se sont servis d'une fléchette trempée dans un produit anesthésiant pour paralyser Prince. Ils ont attendu qu'il soit endormi pour escalader le mur, puis ils lui ont cassé les pattes arrière et ont cambriolé la maison. Le vétérinaire n'est jamais arrivé à soigner convenablement les fractures multiples de Prince. Tous avaient perdu l'espoir qu'un jour le boxer

marche à nouveau. Et pourtant,
cinq ans après, il gambade.

C'est également ainsi que Minou est guérie de sa longue et pénible maladie. Minou souffrait d'un cancer des poumons. Chaque année, depuis trois ans, elle subissait une opération à l'issue de laquelle elle perdait un petit bout de poumon. Combien de fois ses maîtres ont-ils songé à la faire piquer! Mais la petite amie de Blacky, sa vraie propriétaire, ne le permettait pas. Elle aime trop Minou. Depuis un an, elles dorment dans le même lit. Grâce à cette preuve d'amour, Minou a pu supporter la douleur jusqu'à sa récente guérison.

Mais si les chiens et les chats de la ville, ainsi que leurs propriétaires jubilent, quantité de vétérinaires s'inquiètent. Ils ne comprennent vraiment rien à cette situation qui est en train de rendre leur profession inutile.

Afin de prévenir l'irréparable, ils décident de se réunir. Une convocation téléphonique a suffi pour avertir les plus isolés d'entre eux. Mais les débats, qui ont lieu dans la salle de conférence de l'Hôtel de Ville, restent stériles. Le président de séance conclut, résigné:

– Chers collègues, nous devons admettre, malheureusement, que nous ne savons ni l'origine, ni la portée réelle, ni la durée de ce coup du sort qui s'acharne sur notre profession. Si dans quinze jours, la situation est la même, chacun devra suivre des cours de recyclage en vue de changer de métier.

Pendant que toute la population se perd en conjectures, Blacky, Whity et leurs familles acquièrent la certitude que tous ces faits bizarres sont liés à la présence de Dalnoir et de Dalblanc dans la ville d'Ottawa.

Depuis leur arrivée, Dalnoir et Dalblanc n'ont toujours rien mangé ni rien bu. Pourtant ils sont encore bien portants.

Pas une seule fois, un aboiement, un grognement, ni un miaulement ne leur a échappé. De plus, ils devinent tout ce qu'on dit et comprennent tout ce qu'on pense. Mieux: les personnes se comportent comme si elles obéissaient à un ordre invisible.

Enfin, chaque jour, une dizaine de chiens et de chats viennent rôder autour de la porte des deux maisons. Nul doute quelque chose est en train de se préparer.

Le clou de l'événement, annoncé par tant de faits troublants, intervient le neuvième jour de la découverte de Dalnoir et Dalblanc.

C'est un samedi. Un samedi particulièrement froid. Il a neigé une bonne partie de la nuit, et le vent sec, qui souffle imperceptiblement, fait descendre la température. La couche de neige, profonde de près de quarante centimètres, gêne considérablement la circulation. Seule une nécessité impérieuse peut tirer la population du confort douillet des habitations.

Aux alentours de midi, sous le regard blafard d'un soleil paresseux, une foule étrange commence pourtant à envahir les rues.

–Où vont-ils donc? se demande-t-on, de-ci, de-là.

Tous les chiens et les chats de la ville sont à l'extérieur. À la queue leu leu, ils marchent dans la même direction vers une destination qu'ils semblent connaître. Joyeux, joueurs, ils se roulent dans la neige, piquent quelques sprints, miment des combats ami-

caux. Au fur et à mesure qu'ils avancent, la bande grossit de nouveaux arrivants venant de petites rues perpendiculaires.

–Pour savoir où ils vont, il faut les suivre, décident finalement les habitants inquiets.

Les rares automobilistes quittent leur véhicule. Ils ne peuvent plus avancer de peur d'écraser un chien ou un chat. S'ajoutant à la foule, ils se laissent guider par la curiosité générale.

Quand l'imposante colonne de chiens et de chats débouche dans la rue Bank et le chemin Queen Élisabeth, on comprend que le parc Lansdowne est le lieu de rendez-vous. Déjà, au canal Rideau, les premiers arrivés s'en donnent à cœur joie sur la glace.

D'autres, au milieu du parc tout blanc, attendent calmement. Vu leur disposition en cercle, il est évident que les plus importants du groupe se trouvent à l'intérieur de cette figure géométrique. Il est impossible de les voir, même de les apercevoir. Mais la présence de Blacky et de Whity en dit long sur leur identité. En effet, les deux amis se sont

levés avec l'aurore, et machinalement, ont suivi Dalnoir et Dalblanc, les héros de la journée.

Soudain on entend les sirènes des voitures de police et des pompiers. Avertis par quelques coups de téléphone, les policiers et les pompiers précèdent de peu un commando de l'armée. Ils sont tous casqués et bottés et portent des mitraillettes, des matraques et des filets; ils ressemblent à une troupe de marionnettes affolées. Ce spectacle amuse beaucoup les chats et les chiens qui poussent de longs miaulements et aboiements moqueurs.

Mais piqués au vif dans leur amour-propre d'humains, les agents de l'ordre saisiront la moindre occasion pour charger cette bande d'animaux complètement dérangés.

Pour parer à toute éventualité fâcheuse, une grande partie des spectateurs s'interpose.

La colonne peut alors continuer son chemin sans heurt. Dès qu'elle atteint le centre du parc, elle est rejointe par les patineurs du canal Rideau.

Les spectateurs retiennent leur souffle. Que va-t-il se passer à présent ?

Le cercle, formé par les chiens et les chats, s'ouvre enfin. Dalnoir et Dalblanc apparaissent. Ils font quelques pas en avant et s'exposent aux flashes des photographes.

Blacky et Whity s'approchent. Blacky se met du côté de Dalnoir et Whity du côté de Dalblanc. Munis de porte-voix, ils ont le grand privilège de communiquer la pensée de leurs amis.

Whity parle dans le porte-voix et ordonne :

– Faites venir le Premier ministre et les principaux responsables de la Société protectrice des animaux de la ville. C'est seulement en leur présence que nous donnerons les raisons pour lesquelles nous sommes ici aujourd'hui.

Une heure plus tard, les exigences de Dalnoir et Dalblanc sont satisfaites. Le Premier ministre arrive en hélicoptère, accompagné de deux gardes du corps et de trois membres du gouvernement. Les responsables de la SPCA claquent la portière de leur voiture presque au même moment. Les uns et les autres s'avancent vers les manifestants et s'arrêtent à une distance qu'ils jugent raisonnable. Prudence oblige! Ils ne savent pas à qui ils ont affaire!

Dalnoir chuchote quelque chose à Whity qui dit dans le porte-voix:

—Mon ami le chat et moi-même venons de la planète Témoin, encore inconnue de votre monde parce que vos instruments d'observation sont trop rudimentaires. Là-bas, il n'y a aucune différence entre les créatures; chaque espèce est à la fois elle-même et les autres. Elle peut prendre la forme qu'elle veut, quand et où elle le souhaite.

Blacky, à son tour, approche le mégaphone de sa bouche. Dal-blanc lui souffle:

—Nous sommes venus réparer les nombreuses injustices dont sont victimes nos amis terriens. Saisi de leurs plaintes répétées, le Conseil des Sages nous a mandatés pour cette tâche. Mais avant de communiquer nos exigences, nous laisserons les délégués terriens exposer les griefs centenaires formulés contre votre société!

Trois chiens et deux chats sortent du groupe. Captant leurs pensées, Dalnoir et Dalblanc les transmettent aux interprètes.

Zoulou, le représentant des chiens d'Afrique, exprime longuement sa nostalgie des mordillements de l'Harmattan et des promenades sans fin dans les grands espaces de la savane. Il dit sa peine et celle de ses compatriotes de vivre exilés dans ce pays de grands froids.

La déléguée des chiens d'Asie – un chow-chow nommé Nimba – reconnaît certes la similitude des climats et des vastes champs de neige, complices des longues évasions d'antan. Seulement, dans ce pays d'accueil forcé, elle et ses concitoyens ne sont plus libres de sortir quand ils veulent. De plus,

à cause de la pollution et des bruits sans fin, ils perdent leurs poils et sont parfois dépressifs.

Prince, le boxer d'Ottawa, est très bref. Après s'être élevé, en peu de mots, contre le sectionnement des oreilles et de la queue des chiens de sa race, il pose cette question aux humains :

– Pourquoi ne se couperaient-ils pas, eux aussi, les oreilles et la fesse gauche par exemple, afin d'être plus beaux ?

Au nom des chats et des chattes d'Europe, Parisienne regrette beaucoup les jeux de cache-cache avec les souris.

– Vous prétendez, ajoute-t-elle, nous assurer une vie princière en nous confinant dans la paresse et en nous gavant de boîtes de conserve. Comment pouvez-vous savoir ce qui nous convient ?

Quant au chat québécois Catsous, mandataire de ses congénères d'Amérique du Nord, il fait d'abord remarquer, sans arrière-pensée, précise-t-il, que les chiens et les chiennes sortent plus souvent et plus longtemps que les chats et les chattes. Ensuite il s'indigne profondément de l'opération qu'ils subissent.

–Oui, je vous l'affirme, la castration est incompatible avec l'existence pleine et entière. En nous castrant, vous nous amputez de la moitié de notre plaisir de vivre.

Sous cette pluie d'accusations tout à fait justifiées, le silence, mêlé de honte, est impressionnant. Des spectateurs croient même entendre les flocons de neige se moquer d'eux, en s'entre-choquant sous l'effet du vent.

Au bout de quelques minutes, le Premier ministre et les responsables de la SPCA sortent de leur mutisme. À tour de rôle, ils se déclarent à l'unanimité prêts à étudier toute suggestion visant à améliorer la situation.

Tandis que Zoulou, Nimba, Prince, Parisienne et Catsous regagnent leur place, Dalnoir fait dire à Whity d'une voix ferme:

–Nous ne sommes pas ici pour négocier un compromis, mais pour exiger des mesures immédiates et concrètes. Nous demandons:

Premièrement: l'abolition de la castration et de l'amputation des oreilles et de la queue. Toute intervention de ce genre sera sévèrement punie.

Deuxièmement: l'institution de deux fêtes annuelles d'une durée de deux jours chacune. L'une aura lieu en hiver sur le canal Rideau. L'autre, estivale, comportera des concours d'élégance et des jeux.

Troisièmement: la renonciation pour toute la population aux vacances d'été. Tout nouvel abandon de chien ou de chat sera considéré comme un délit et sanctionné par une lourde amende.

Quatrièmement: la création d'un ministère de la Protection des animaux qui sera chargé de veiller à l'application de toutes ces dispositions. Le ministre et ses collaborateurs devront être choisis parmi les responsables de la SPCA.

–Dans un an, jour pour jour, nous reviendrons, dit Blacky. Si vous avez respecté ces quatre mesures, vous n'aurez rien à craindre. Mais si par malheur ce n'est pas le cas, alors dans la minute qui suivra notre arrivée, il n'y aura plus un chat, plus un chien dans votre ville.

L'angoisse des spectateurs est telle qu'elle semble, plus que le froid, avoir glacé leur sang et paralysé leurs membres. Personne ne bouge. Tous se taisent.

Homme de sang-froid, le Premier ministre, ayant maîtrisé ses émotions et retrouvé son calme, donne l'assurance que tout sera fait selon les désirs de Dalnoir et de Dalblanc.

Une étoile brille alors dans le ciel. Elle projette un rai de lumière sur le parc à dix pas de Dalnoir et Dalblanc.

Ils rejoignent le rayon d'étoile, en détachent chacun un petit bout, superbe comme l'émeraude, majestueux comme le diamant. Ils offrent ce signe d'amitié à Blacky et à Whity.

—Grâce à cela, nous resterons toujours en contact, disent-ils. Chaque fois que vous voudrez nous voir, il suffira seulement de tenir ce bout d'étoile dans la main et de nous appeler par la pensée.

L'instant de la séparation est arrivé. Blacky et Whity essuient leurs larmes. Mais un gage magique d'amitié les lie désormais à

Dalnoir et Dalblanc et à tous les animaux de la terre.

Le plus de Plus

Réalisation : Denise Nadeau

*Une idée de Jean-Bernard Jobin
et Alfred Ouellet*

AVANT DE COMMENCER

Est-ce que vous aimez les animaux ?

Si oui, vous possédez peut-être déjà un petit animal domestique ?

Lequel préfères-tu ? Un chien ? Un chat ? Un cochon d'Inde ? Un hamster ? Une souris blanche ? Une tortue ? Des poissons ?

Complétez la fiche de bonne santé du chat et du chien en utilisant des mots choisis dans les banques.

Banque du CHAT : propres – alerte – clairs – excellent – roses – ne coule pas – sans points noirs – frais – sans dépôts – ne coulent pas – lisse –

Banque du CHIEN : humide – pas de mauvaises odeurs – clairs – doux – ne coule pas – sans larmes – luisant – propres – alerte

CHAT		CHIEN	
Appétit	_____	Poil	_____
Yeux	_____		_____
	_____	Museau	_____
Gencives	_____		_____

Oreilles	_____	Yeux	_____
	_____		_____
Nez	_____	Oreilles	_____
	_____		_____
Pelage	_____		_____
	_____	Attitude	_____
Attitude	_____		_____

Quiz animalier

1. Combien de temps dure la gestation d'une chienne?

2. Combien de chiots la chienne peut-elle avoir?

3. Donnez l'autre nom du cochon d'Inde.

4. Quel est l'âge idéal pour adopter un chiot?

5. Combien de temps peut vivre un cochon d'Inde?

6. Comment peut-on déterminer l'âge d'un chien?

7. Combien de temps dure la gestation du hamster?

8. Est-ce qu'un chien entend bien ?

9. Combien de bébés une mère souris peut-elle avoir en un an ?

10. Est-ce que le cochon d'Inde mange de la viande ?

11. Est-ce qu'un chien a une bonne vue ?

12. Combien de temps peut vivre un hamster ?

Que savez-vous sur le Canada ?

1. Le Canada est un pays d'Amérique centrale. Vrai Faux

2. Le Canada est bordé à l'ouest par l'océan Pacifique et à l'est par l'océan Atlantique. Vrai Faux

3. Le Canada a une frontière commune avec les États-Unis. Vrai Faux

4. La capitale du Canada est Toronto. Vrai Faux

5. Au Canada, il y a trois langues officielles : le français, l'anglais et l'inuktituk Vrai Faux

6. Le Canada est un État   Vrai Faux
   fédéral formé de provinces
   et de territoires.

7. Le Canada est traversé   Vrai Faux
   par le cercle polaire
   antarctique.

8. Québec est la capitale de   Vrai Faux
   la province de Québec.

9. Les habitants du Canada   Vrai Faux
   s'appellent les Canadiens
   et les habitants du Québec
   les Québécois.

10. L'autoroute   Vrai Faux
    transcanadienne qui
    traverse le pays d'est en
    ouest a une longueur de
    près de 8000 km.

AU FIL DU TEXTE

Des questions pour vérifier

1. Quel âge ont Blacky et Whity ?

2. Comment nomment-ils le chiot et le
   chaton qu'ils trouvent ?

3. Dans quelle ville se situe l'action ?

4. Comment le chiot et le chaton commu-
   niquent-ils avec Blacky et Whity ?

5. Qu'est-il arrivé à Bibi, la vieille perruche? et à Minou?

6. Que redoutent les vétérinaires?

7. Où a lieu le grand rassemblement des chiens, des chats et des citoyens?

8. Comment s'appellent les cinq représentants des chiens et des chats?

9. Quelles sont les quatre mesures suggérées par les représentants des chiens et des chats?

Ottawa

Voici un plan de la ville d'Ottawa.

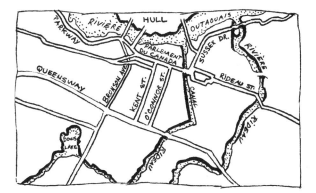

Relevez dans le texte les lieux où se passe l'action et vérifiez si ces lieux existent réellement.

À PARTIR DE LA LECTURE

La famille

Les animaux suivants ont perdu leur famille. Pouvez-vous les regrouper correctement ?

1. Chat	jument	levraut
2. Chien	lapine	poulain
3. Porc	chatte	agneau
4. Cheval	brebis	chaton
5. Bœuf	hase	lapereau
6. Canard	chienne	veau
7. Lièvre	truie	caneton
8. Mouton	cane	porcelet
9. Lapin	vache	chiot

Le mélange des familles a donné lieu à des drôles de surprises. Maintenant, il faut redonner à chaque groupe l'expression de la voix qui est vraiment la sienne. À vous de le faire.

1. Le chat	beugle (beugler)
2. Le chien	hennit (hennir)

3. Le porc   bêle (bêler)

4. Le cheval   cancane (cancaner)

5. Le bœuf   clapit (clapir)

6. Le canard   aboie (aboyer)

7. Le lièvre   miaule (miauler)

8. Le mouton   vagit (vagir)

9. Le lapin   grogne (grogner)

Que signifie « être rouge comme un coq » ?

Que signifie « courir deux lièvres à la fois » ?

Pouvez-vous identifier les chiens suivants ?

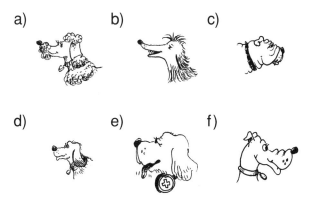

a)   b)   c)

d)   e)   f)

Épagneul – bouledogue – danois –
lévrier – caniche – saint-bernard

La protection des animaux

Pour toutes sortes de raisons, nous, êtres humains, faisons souvent beaucoup de mal aux animaux. Heureusement, on remet de plus en plus en question certaines pratiques.

1. Certaines compagnies ont déjà cessé de tester sur les animaux des cosmétiques ou des produits chimiques d'utilisation courante.   Vrai Faux

2. Certains produits chimiques ne causent pas de tort à un animal mais peuvent être toxiques pour un être humain.   Vrai Faux

3. Les tests sur les animaux sont les seules méthodes valables pour vérifier la toxicité d'un produit destiné à la consommation.   Vrai Faux

4. On coupe les oreilles et la queue de certains animaux pour des raisons de santé.   Vrai Faux

5. Dégriffer un chat est une pratique néfaste puisqu'elle l'empêche de se défendre.   Vrai Faux

6. On enlève parfois les cordes vocales à un animal.　　Vrai　Faux

7. Certains propriétaires abandonnent leur chien ou leur chat après la période estivale, croyant qu'ils sauront trouver de quoi manger dans la nature.　　Vrai　Faux

8. Tous les animaux vivent dans d'excellentes conditions.　　Vrai　Faux

Savez-vous...

1. Savez-vous, qu'au Canada, il n'existe pas vraiment de loi qui permette de bien protéger les animaux?

2. Savez-vous que la SPCA[1] vient de présenter un projet de loi au ministère de l'Agriculture, des Pêcheries et de l'Alimentation?

3. Savez-vous que, contrairement aux suggestions de l'auteur de la nouvelle, la SPCA recommande la castration des mâles, en raison de la surpopulation animale?

1　Société canadienne de protection des animaux.

4. Savez-vous qu'environ 200 animaux sont conduits à la SPCA chaque jour?

5. Savez-vous que, chaque année, la SPCA doit mettre un terme à la vie de 50 000 chiens et chats parce qu'il n'y a personne pour s'en occuper?

D'AUTRES HISTOIRES

Ces deux poèmes ont été écrits par deux élèves de l'école secondaire Marguerite-de-Lajemmerais à Montréal

Si j'étais
par Joëlle Carpentier

Si j'étais un matou
Je serais un gentil minou
Je sauterais comme un kangourou
Et je ferais peur à tous les zoulous

Si j'étais un requin
Je serais très coquin
Je serais peut-être malin
Et je ferais peur à tous les marins

Si j'étais un chameau
Je marcherais sur le sable chaud
Je conduirais mes maîtres sots
Qui auraient peur sur mon dos

Si j'étais une oie
Je serais douce comme de la soie

Je serais gentille comme toi
Mais j'aime bien être moi

Si tu m'écoutais écrire
Éd. du Parc

À votre tour,

Si j _____

Je _____

Je _____

Miaou ! Miaou !
par Caty Charrette

Un chat soyeux
Qui est tout bleu
Est-ce tout ?
Deux chats peureux
À la queue leu leu
Est-ce beaucoup ?
Trois chats paresseux
Qui sont piteux
Est-ce mes matous
Quatre chats chanceux
Qui sont silencieux
Est-ce un atout ?
C'est merveilleux
Ils sont heureux
Mes quat'minous
Miaou ! Miaou !

Si tu m'écoutais écrire
Éd. du Parc

En français les chats font « miaou, miaou », les oiseaux font « cui,cui », les canards font « couin, couin », les chiens « ouaf, ouaf », les vaches « meu, meu »...

Vous pouvez composer un poème sur un animal de votre choix en suivant le modèle de Caty Charrette.

Les Solutions

Est-ce que vous aimez les animaux ?

Chat

Appétit : excellent	Yeux : clairs – ne coulent pas
Gencives : roses	Oreilles : propres – sans dépôts
Nez : frais – ne coule pas	Pelage : lisse – sans points noirs
Attitude : alerte	

Chien

Poil : doux – luisant	Museau : humide – ne coule pas
Yeux : clairs – sans larmes	Oreilles : propres – pas de mauvaises odeurs
Attitude : alerte	

Quiz animalier

1. De 60 à 65 jours.
2. 2 à 10.
3. Un cobaye.
4. Entre 8 et 12 semaines. Il est alors sevré et il n'a pas encore pris de mauvaises habitudes.
5. De 6 à 8 ans.
6. En examinant ses dents. L'usure des incisives est une bonne indication.
7. 16 jours.
8. Oui. Il peut percevoir des ondes sonores de 50,000 vibrations par seconde. L'homme perçoit, au maximum, des ondes de 30,000 vibrations par seconde.
9. Entre 70 et 120 bébés par année.
10. Non, il est herbivore.
11. Pas tellement. Il ne peut distinguer son propriétaire à 90 mètres.
12. 2 ou 3 ans.

Que savez-vous sur le Canada ?

1. Faux. C'est un pays d'Amérique du Nord.
2. Vrai.
3. Vrai.
4. Faux. La capitale du Canada est Ottawa.
5. Faux. Il y a deux langues officielles, le français et l'anglais ; les Inuit (ou Esquimaux) parlent l'inuktituk mais ce n'est pas une langue officielle.
6. Vrai.
7. Faux. Le Canada est traversé par le cercle polaire arctique.
8. Vrai.
9. Vrai.
10. Vrai.

AU FIL DU TEXTE
Des questions pour vérifier

1. 14 ans.
2. Dalnoir et Dalblanc.
3. Ottawa.
4. Par la pensée.
5. Bibi est parvenue à parler, ce qu'elle n'avait pu faire auparavant. Minou a été guérie d'un cancer des poumons. Ces guérisons sont attribuables à la présence de Dalnoir qui est « doué de facultés psychiques supérieures à celles de beaucoup de magiciens ».
6. Si tous les animaux guérissent, ils ont peur de se retrouver sans travail et d'être obligés de changer de métier.
7. Au canal Rideau.
8. Zoulou, Nimba, Prince, Parisienne et Catsous.
9. a) L'abolition de la castration et de l'amputation des oreilles et de la queue.
   b) L'institution de deux fêtes annuelles d'une durée de deux jours chacune.

c) La renonciation pour toute la population aux vacances d'été.

d) La création d'un ministère de la Protection des animaux.

La famille

1. Chat	chatte	chaton	miauler
2. Chien	chienne	chiot	aboyer
3. Porc	truie	porcelet	grogner
4. Cheval	jument	poulain	hennir
5. Bœuf	vache	veau	beugler
6. Canard	cane	caneton	cancaner
7. Lièvre	hase	levraut	vagir
8. Mouton	brebis	agneau	bêler
9. Lapin	lapine	lapereau	clapir

« Être rouge comme un coq » signifie être en colère.

« Courir deux lièvres à la fois » signifie faire deux choses en même temps.

Pouvez-vous identifier les chiens suivants ?

a) caniche ; b) lévrier ; c) bouledogue ; d) épagneul ; e) saint-bernard ; f) danois.

La protection des animaux

1. Vrai. Un grand nombre de compagnies testaient leurs produits sur des animaux. Un certain nombre d'entre elles ont cessé de le faire.

2. Vrai. Le contraire est également exact : certains produits chimiques qui ne sont pas dommageables pour l'être humain, peuvent se révéler toxiques chez certains animaux.

3. Faux. On commence à mettre au point d'autres méthodes.

4. Faux. On le fait pour des raisons d'esthétique.

5. Vrai.

6. Vrai.

7. Vrai.

8. Faux. Certains animaux vivent dans des conditions abominables.

Dans la même collection